Sobrenome:

Nome:

Formação escolar e diplomas:

A profissão dos sonhos quando era criança:

A que exerce hoje em dia:

Data de início deste caderno:

Qualidades profissionais (seu chefe deve preencher):

Rubrica do Departamento de Recursos Humanos:

Para Verônica, que está procurando emprego.
Para Violeta, que se entedia no escritório.
E para todos que detestam o estresse do trabalho.

Publicado originalmente na França sob o título
Cahier de gribouillages pour les adultes qui s'ennuient au bureau

TRADUÇÃO
Jorge Bastos

ADAPTAÇÃO DO PROJETO GRÁFICO
Mariana Newlands

REVISÃO
Umberto Figueiredo Pinto

IMPRESSÃO
Geográfica

CIP-BRASIL. CATALOGAÇÃO-NA-FONTE
SINDICATO NACIONAL DOS EDITORES DE LIVROS, RJ

F29c

Faÿ, Claire, 1977-
Caderno de rabiscos para adultos entediados no trabalho / Claire Faÿ ; adaptação do projeto gráfico Mariana Newlands ; tradução Jorge Bastos. - Rio de Janeiro : Intrínseca, 2008.
il.

Tradução de: Cahier de gribouillages pour les adultes qui s'ennuient au bureau
ISBN 978-85-98078-36-6

1. Passatempos. II. Título.

08-3592.   CDD: 793.9
CDU: 793.7

[2008]

Editora Intrínseca Ltda.
Rua dos Oitis, 50
22451-050 – Gávea
Rio de Janeiro – RJ
Telefone: (21) 3874-0914
Fax: (21) 3874-0578
www.intrinseca.com.br

Risque e vire a página.

Problemas

Desenhe a água e nade.

feLiciDaDe

feLiciDaDe

feLiciDaDe

feLi

felicidade

felicidade

felicidade

idade

felicidade

felicidade

Pausa para o café: colorir as xícaras até transbordarem.

Coloque sua mão sobre a folha e desenhe o contorno.

[mão]

Desenhe a vaca indo pro brejo.

Faça uma ponta bem fina no lápis, recue dois metros, concentre-se e mire.

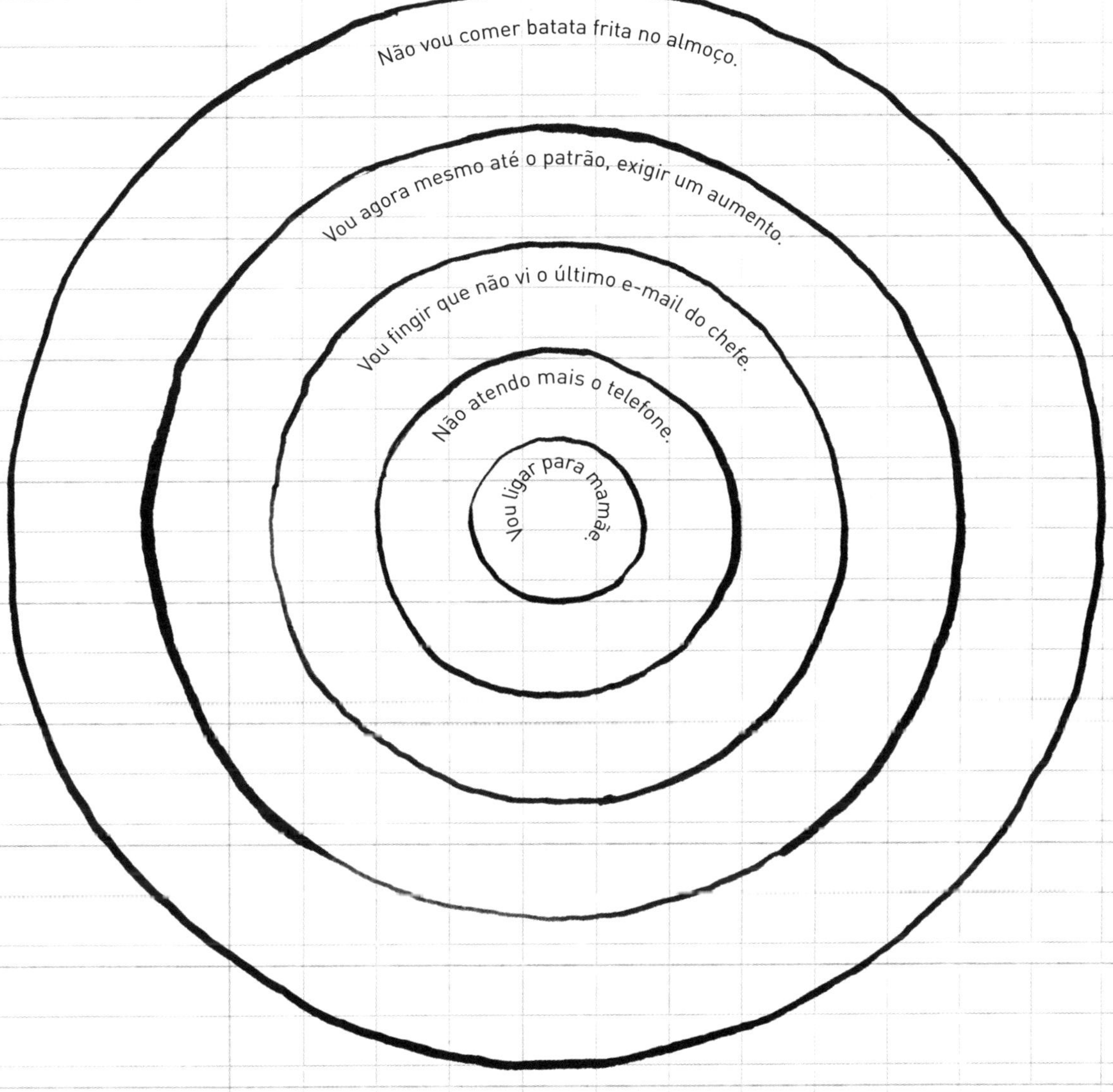

Desenhe uma cara em que você gostaria de dar uns tapas e bata pra valer na folha.

Esvazie a cabeça: apague suas tarefas com corretor e desenhe um bom corte de cabelo, um chapéu de palha, uns raios de sol...

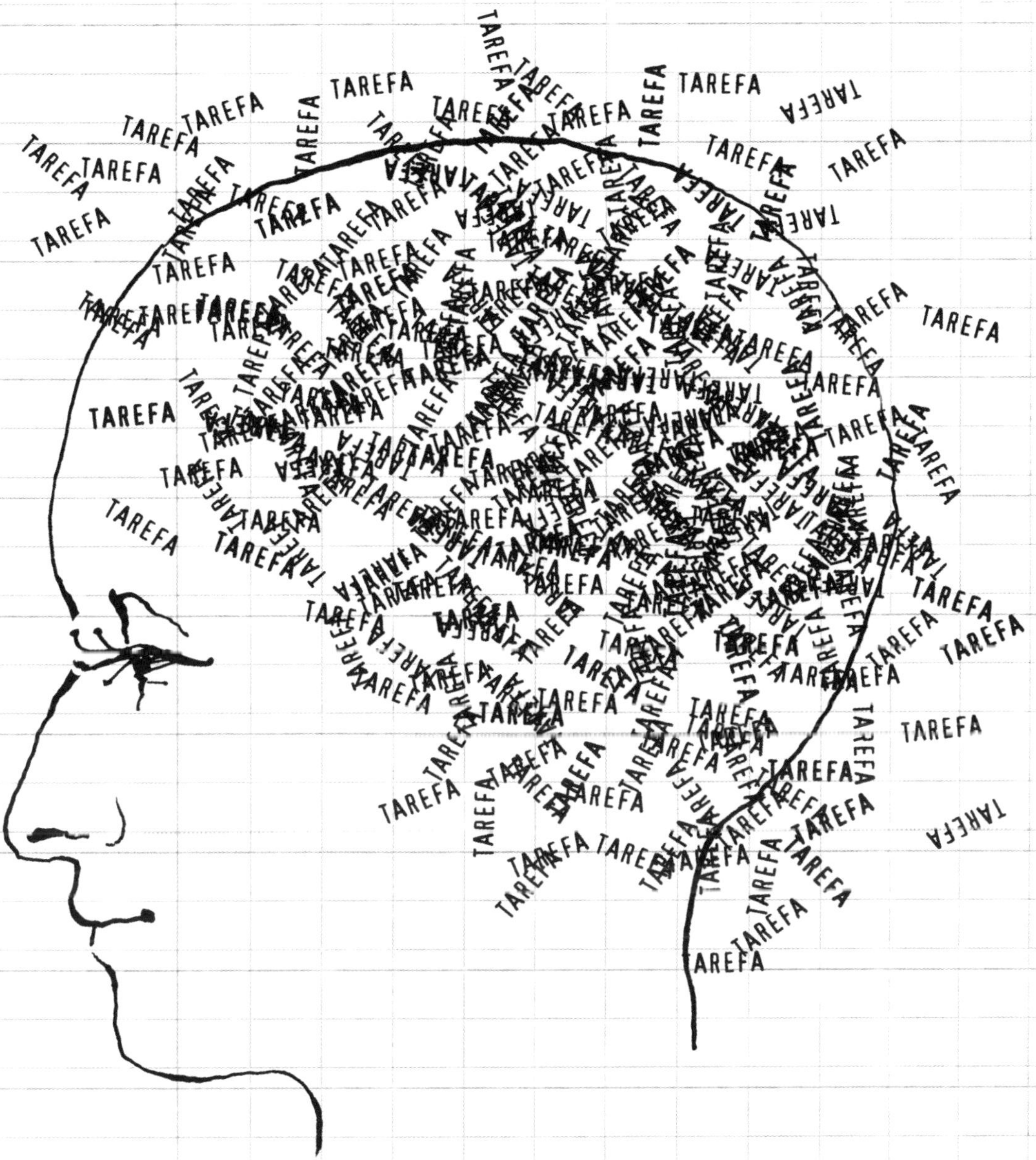

Ponha os pingos nos is.

Colorir o sapo que você acabou de engolir.

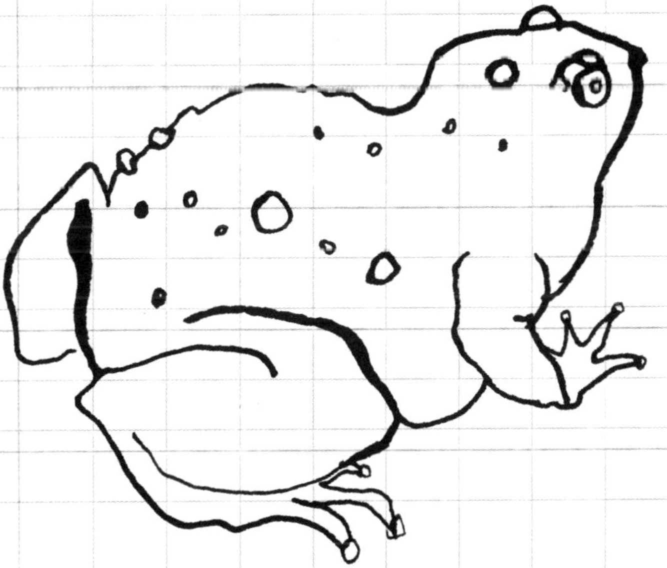

Organize as notas fiscais de maneira criativa: transforme-as em passarinhos de origami.

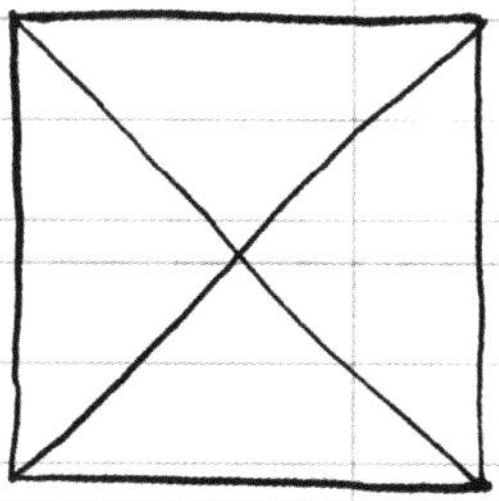

1 - Corte a nota fiscal em forma de quadrado e dobre as diagonais.

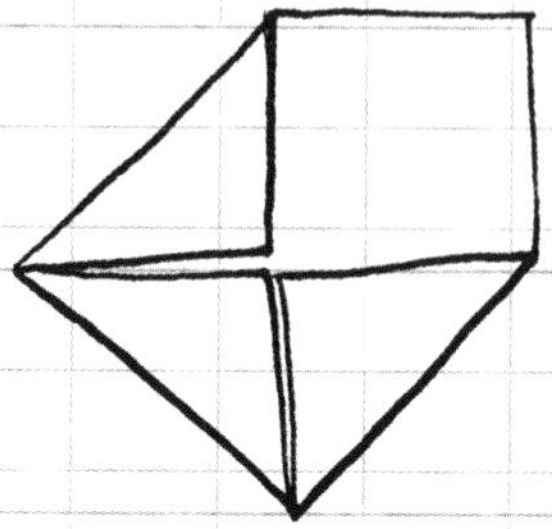

2 - Dobre três cantos ao longo das diagonais.

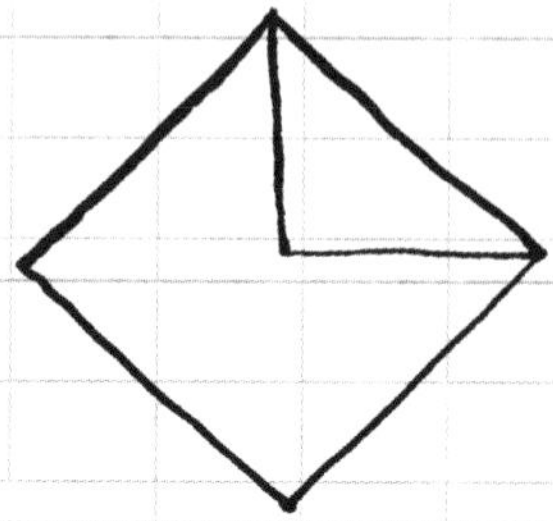

3 - Vire a folha e dobre o quarto canto.

4 - Revire a folha e dobre novamente os quatro cantos.

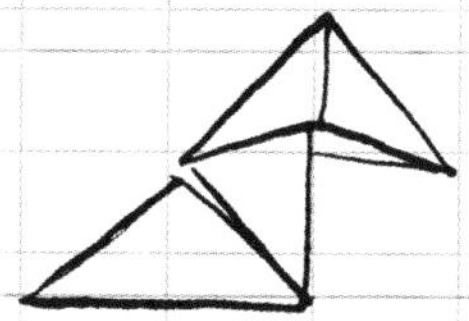

5 - Dobre em dois e faça sair a cabeça do passarinho.

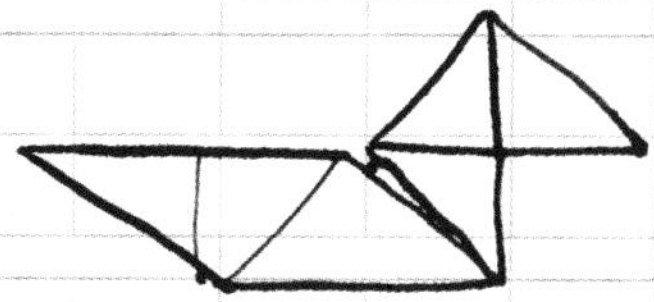

6 - Faça sair o rabo do passarinho.

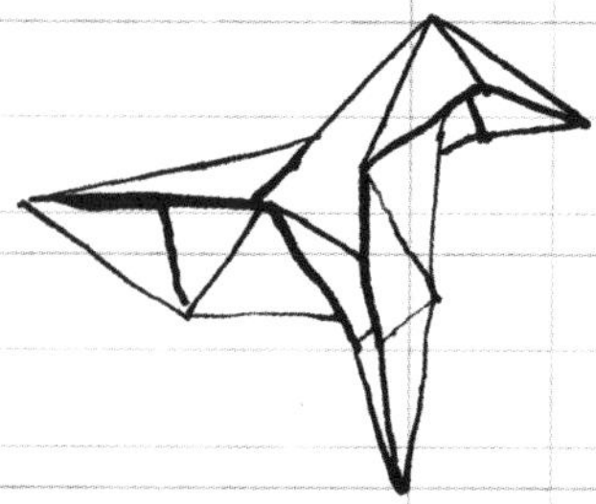

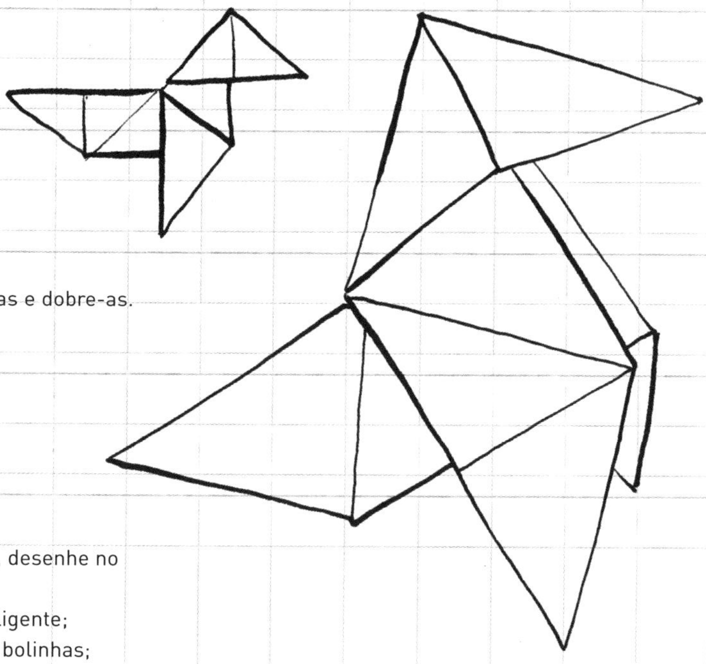

7 - Puxe as patas e dobre-as.

8 - Em seguida, desenhe no passarinho:
- um olhar inteligente;
- um biquíni de bolinhas;
- um sorriso maroto...

Pausa para fumar nº 1: colorir de preto seus brônquios.

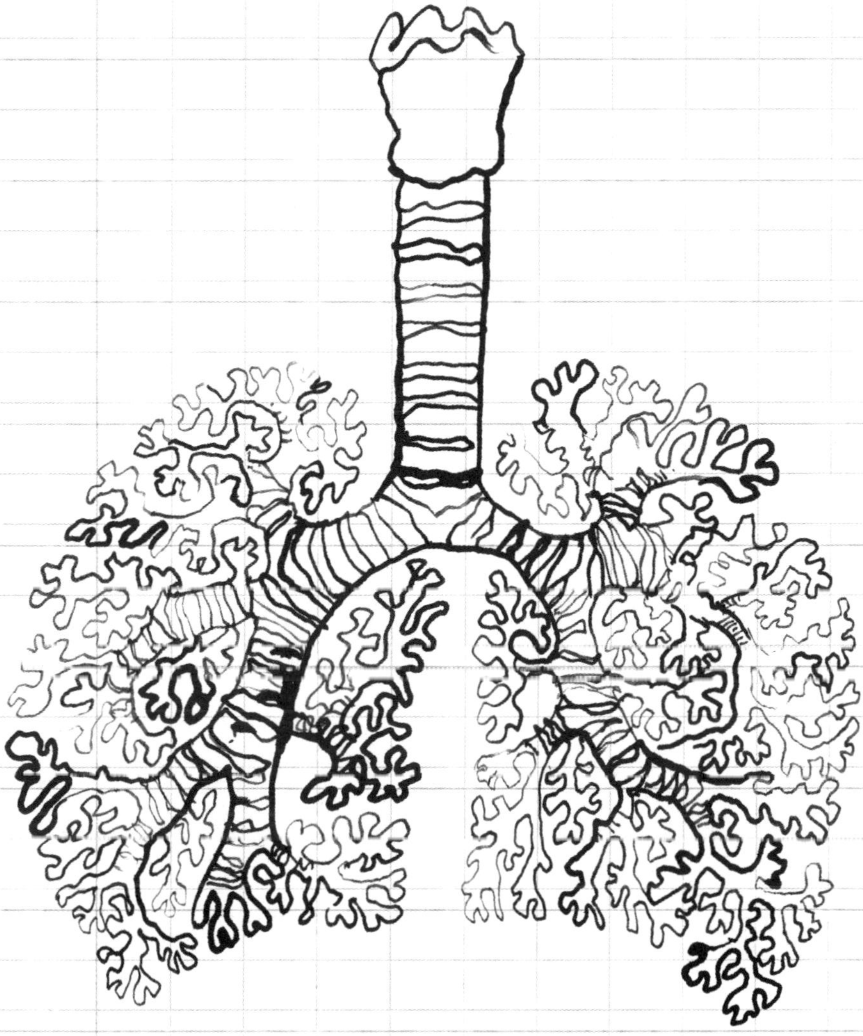

As ordens estão desordenadas. Ligue cada legenda a seu ícone e encontre a resposta.

Ordem do subchefe ● ● 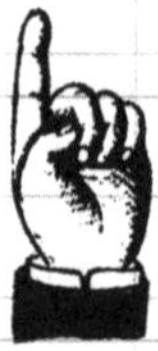

Ordem do patrão ● ● 

Ordem de um colega ● ● 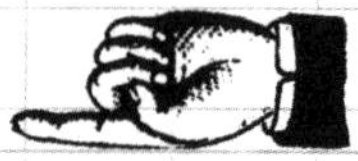

Sua resposta ● ● 

Ordem do chefe ● ● 

Pinte de preto os chatos.

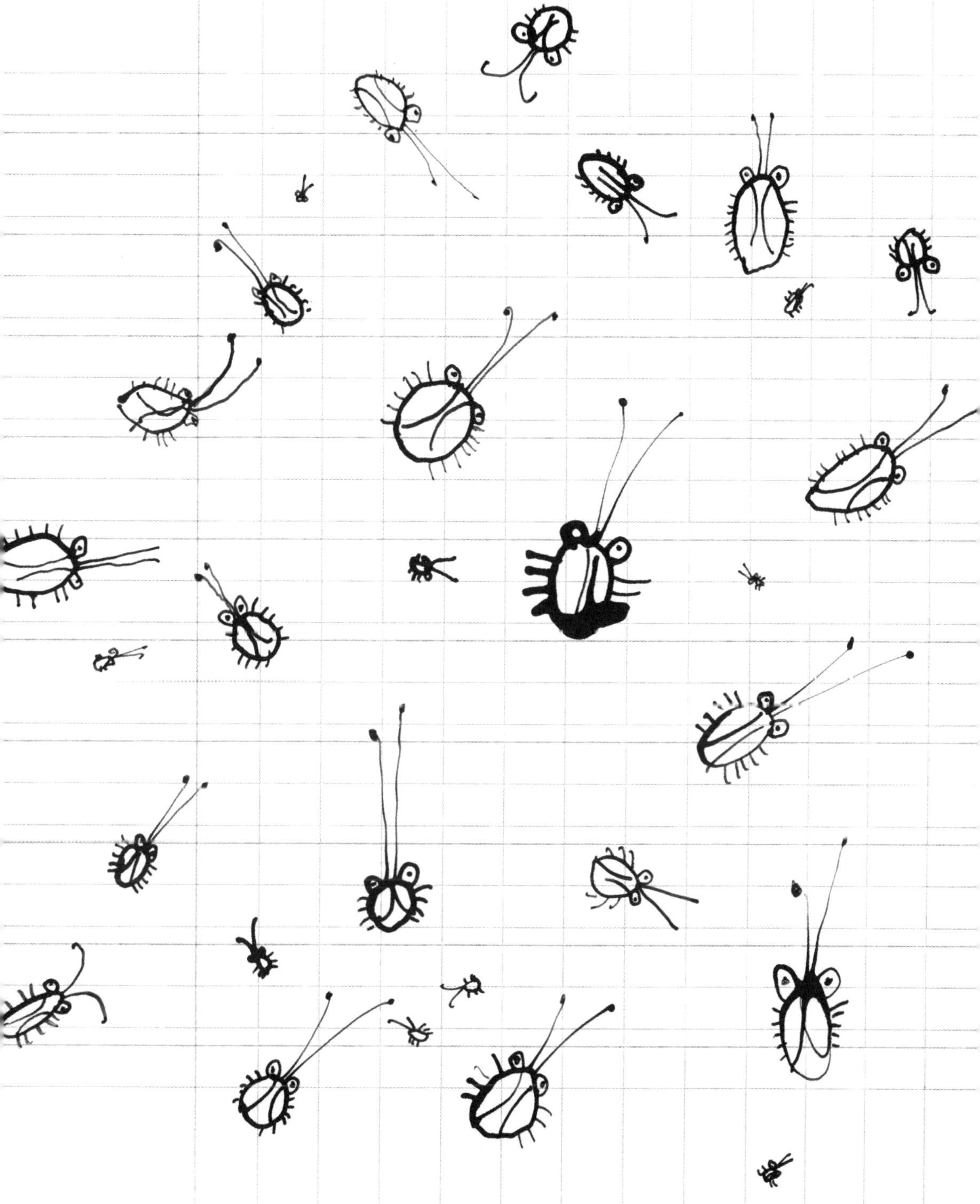

Se o preto acabar, continue com cores mais vivas.

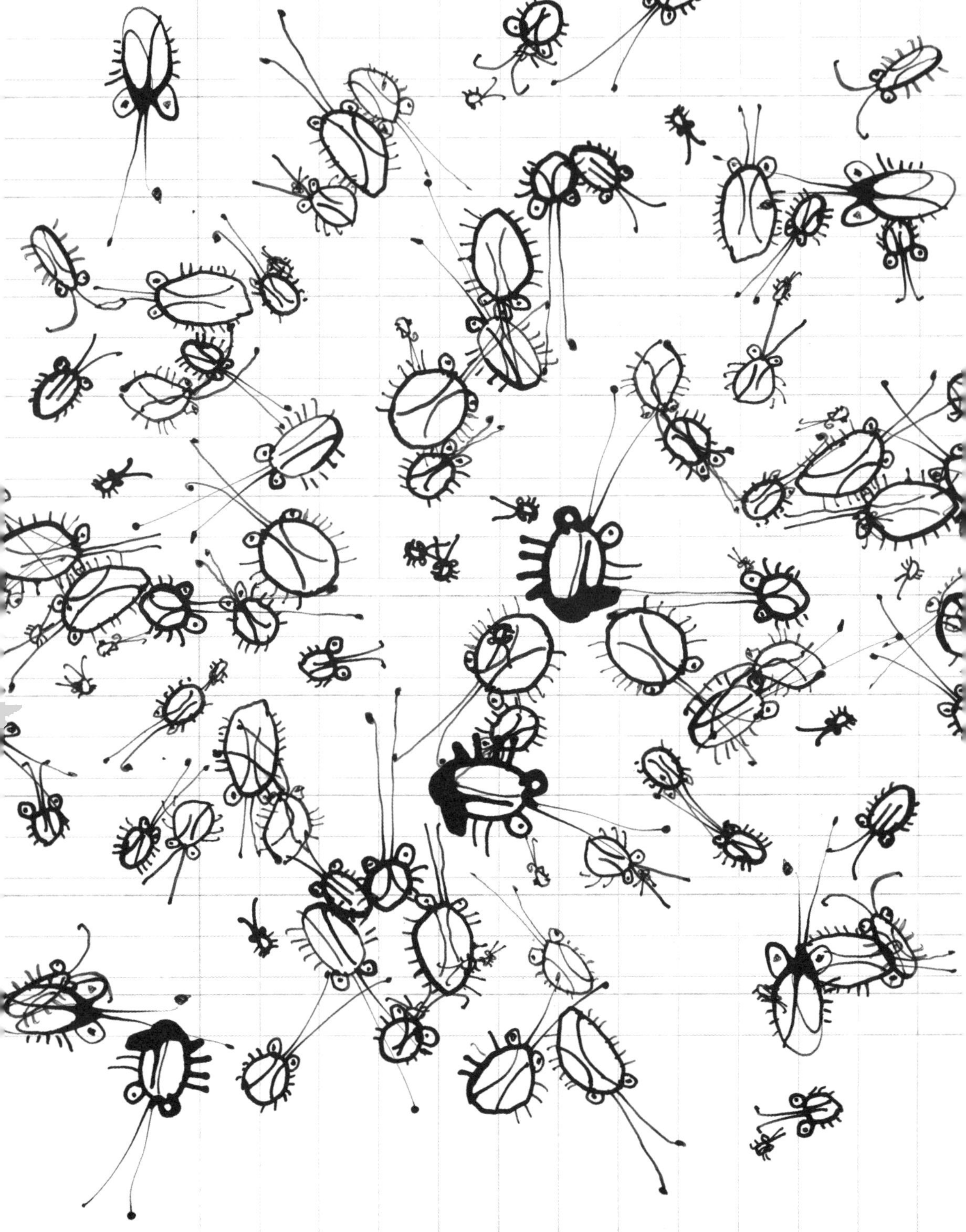

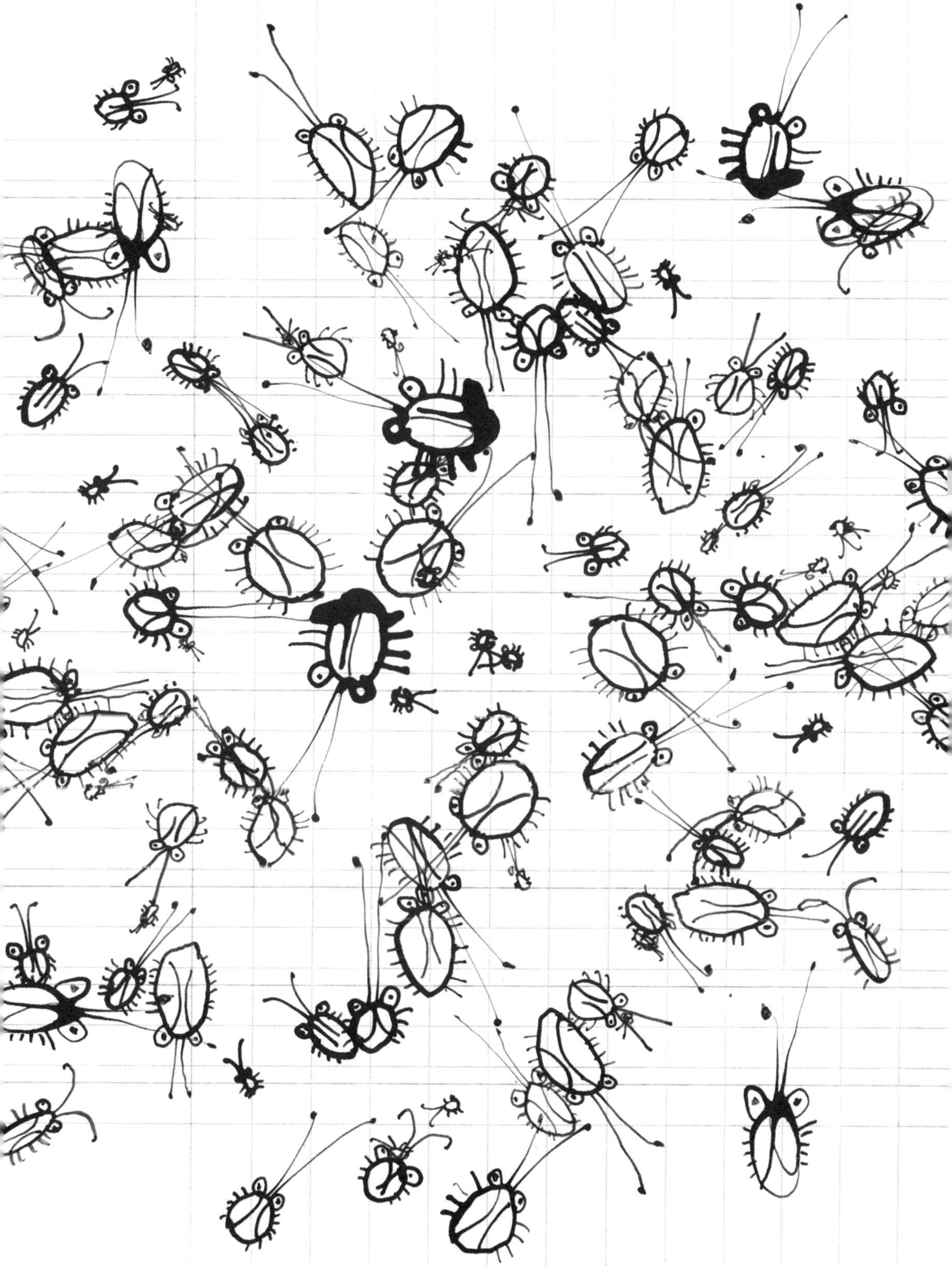

Pare de cometer tanta gafe: de agora em diante escreva suas reações mais espontâneas nos círculos, recorte e faça bolinhas de papel.

Com um desenho, enquadre a pessoa que você não suporta.

Desenhe o saco do seu chefe e puxe a página.

Com o grampeador, encha os peixes de escamas.

Tire um cochilo.

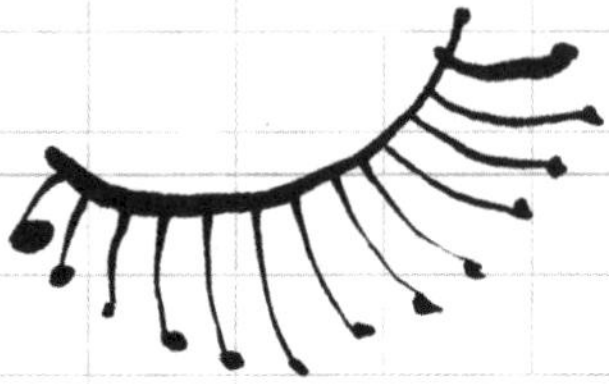

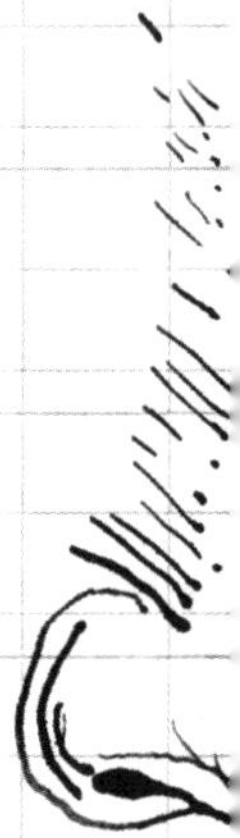

Deixe um ouvido ligado, nunca se sabe...

Lado do caderno a se dobrar sobre o rosto.
Cuidado, se tiver feito a tarefa da página anterior, dobre a folha com delicadeza.

Desenhe seus fantasmas...

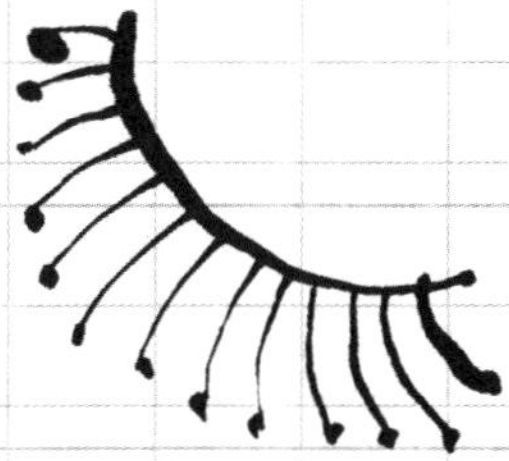

... e colore de vermelho as orelhas.

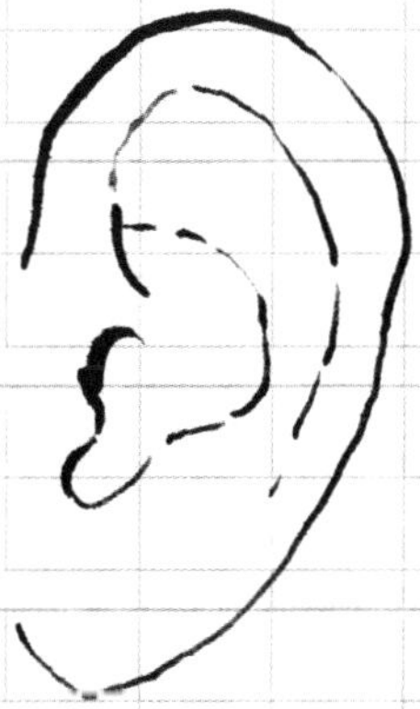

Enfie o nariz na dobra.

Deite a cabeça aqui.

Lado do caderno a ficar sobre a mesa.

Desenhe a cereja no alto do bolo.

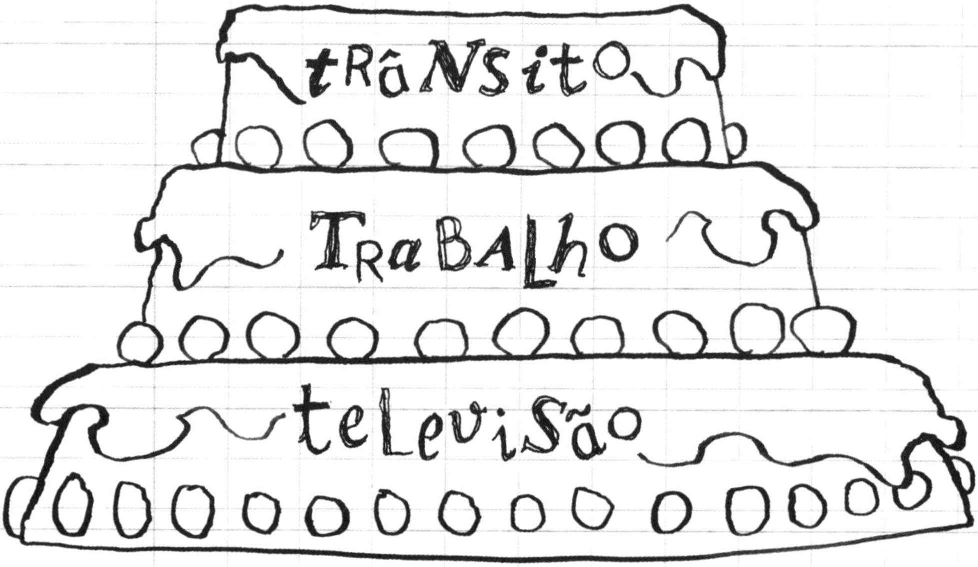

Pausa para fumar nº 2: recorte a folha e enrole.

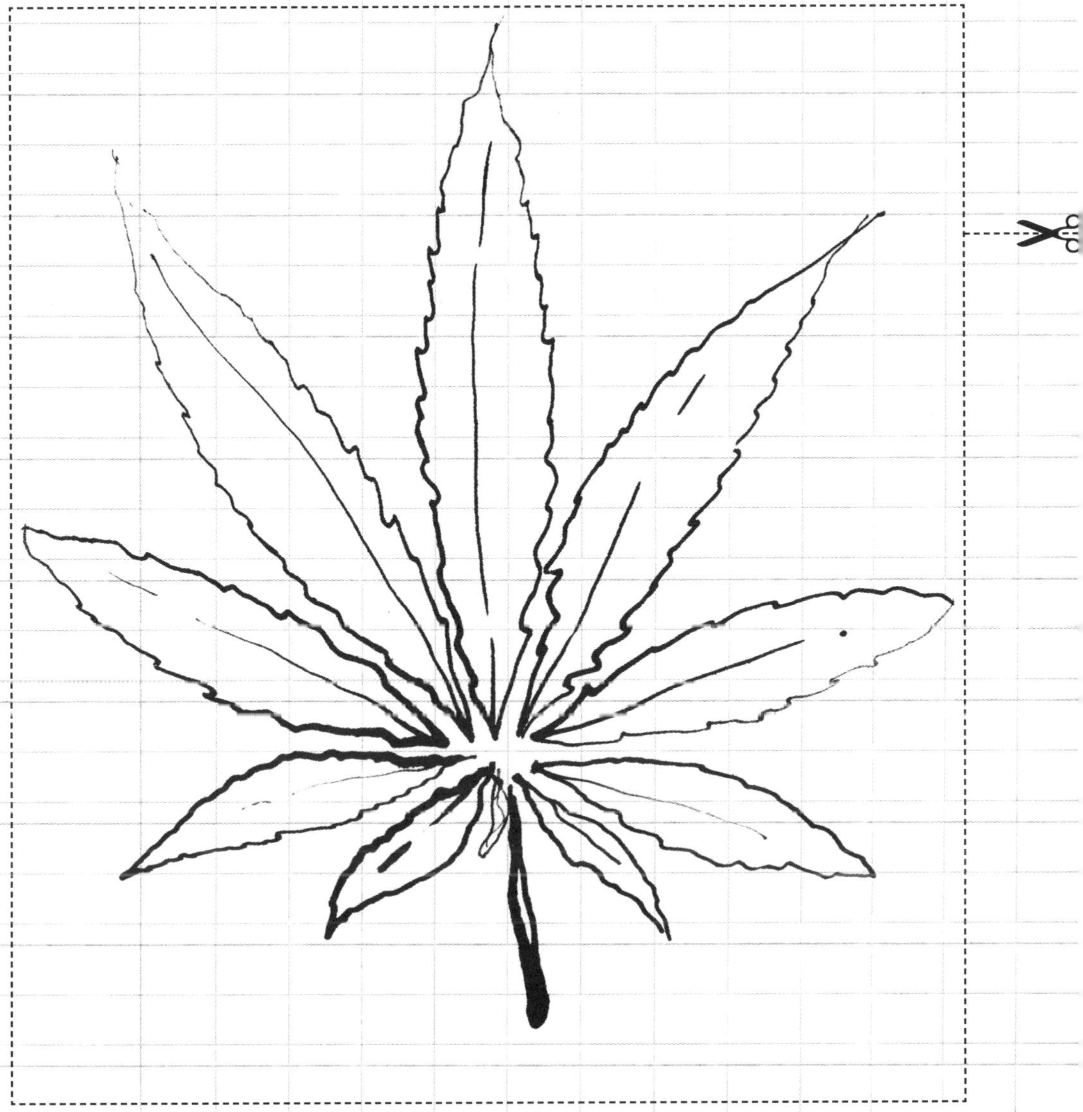

Lembre-se do último mosquito que o impediu de dormir. Desenhe sua trajetória.

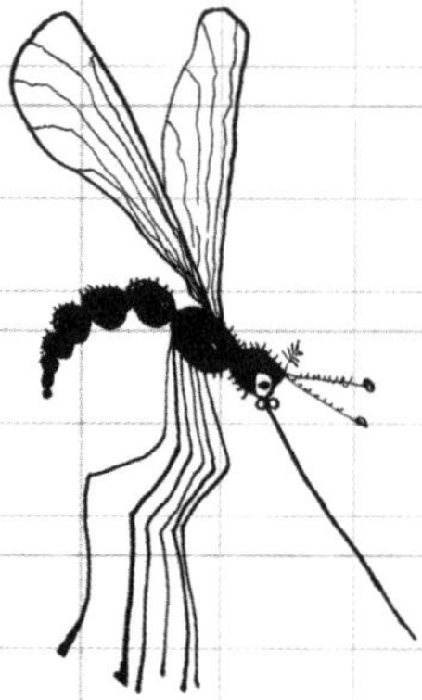

Consiga fotos de família dos colegas, recorte e monte um álbum.

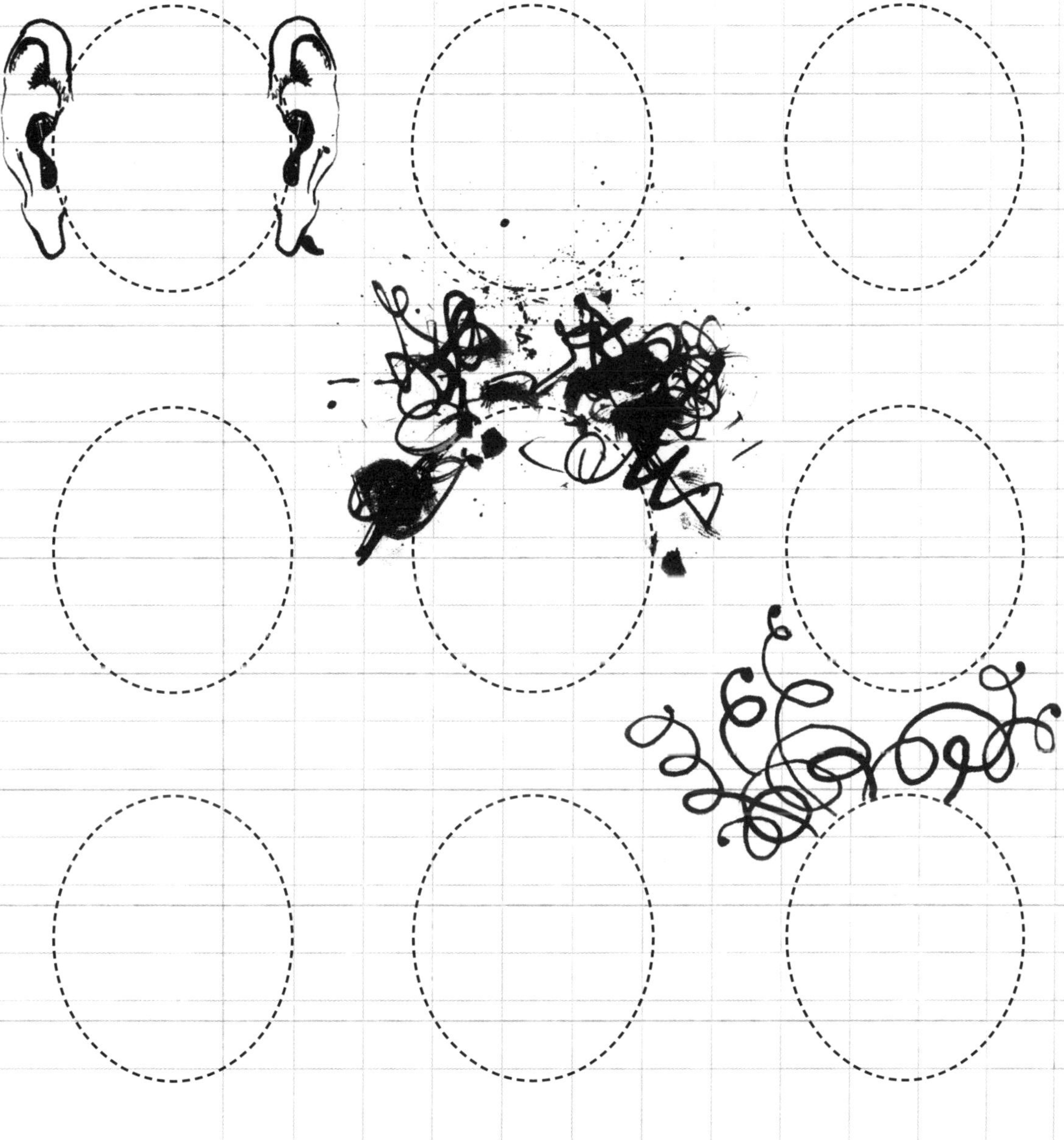

Desenhe seu colega ou sua secretária e cale a boca deles com durex.

Recorte as pedrinhas com delicadeza e jogue os papeizinhos na pessoa que as merece (pelas costas de preferência).

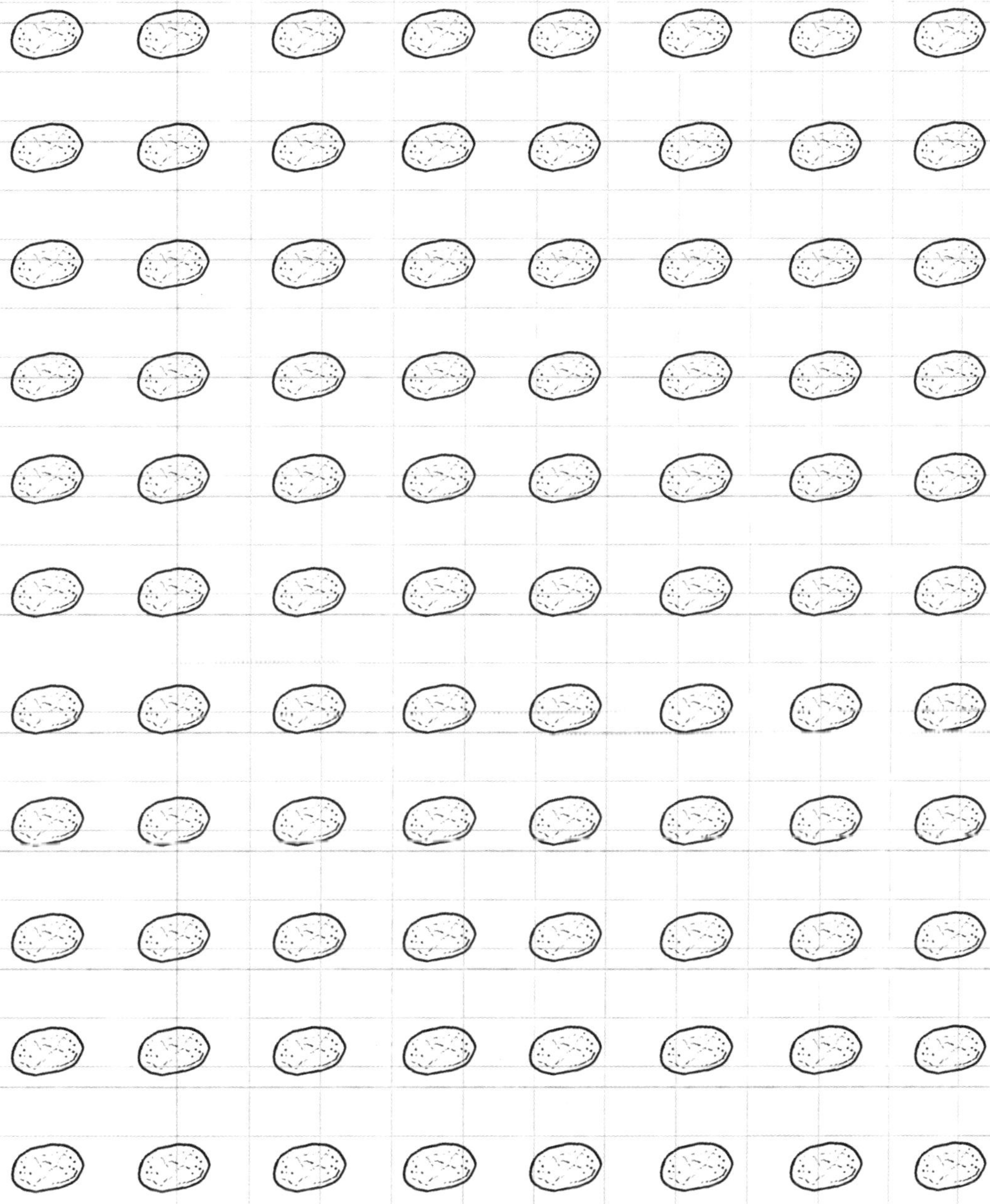

Não procure sarna para se coçar. Desenhe aqui muitas delas.

Se a coisa continuar preta: rabisque seu cérebro.
Se necessário, rabisque a página inteira. Não bastando, continue pela mesa, inclusive invadindo a do colega ao lado.

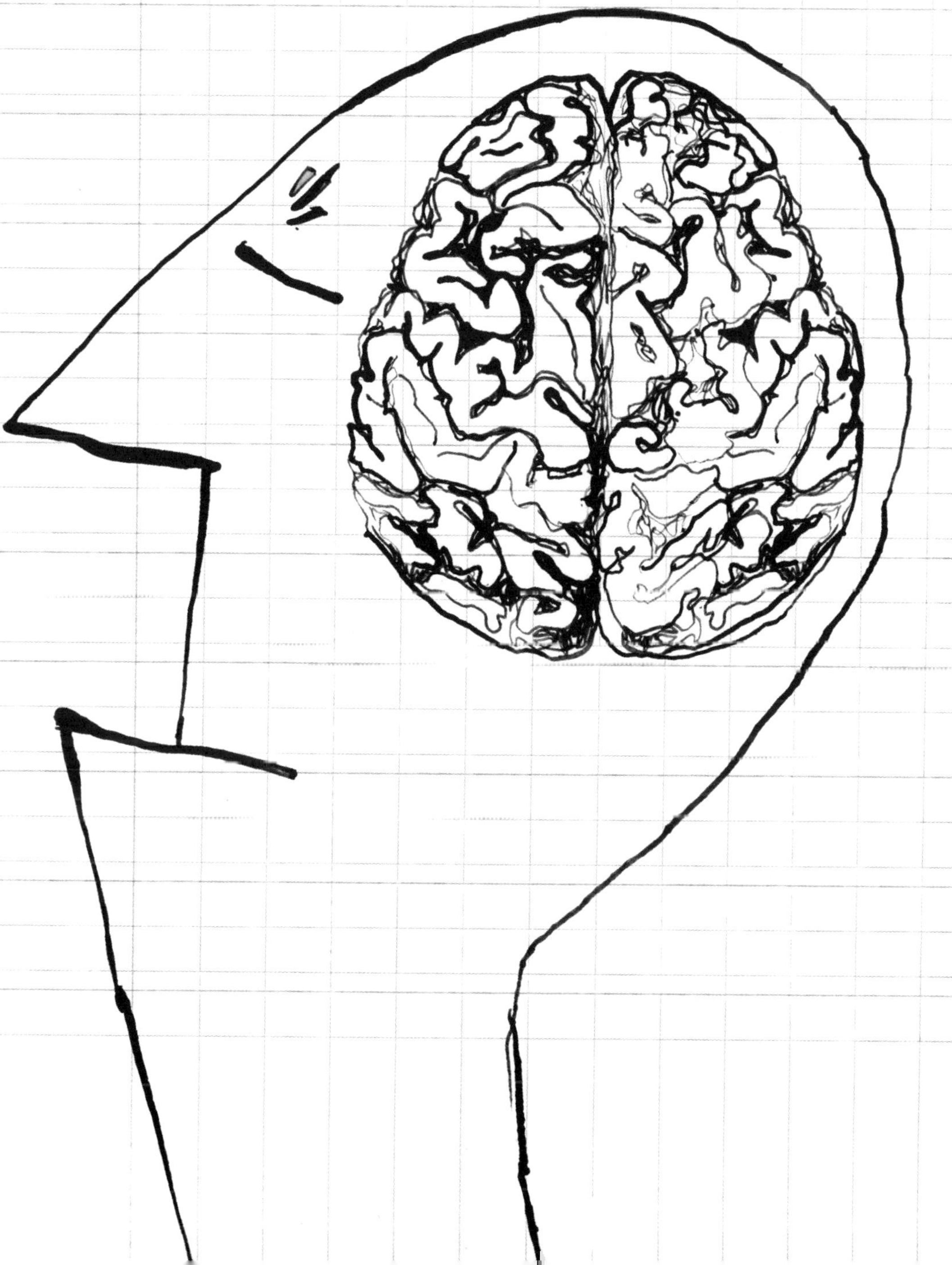

Quer que eu faça um desenho para você entender melhor???

- Sim.

Recebeu uma boa notícia? Pinte estes confetes e jogue-os para o alto na próxima reunião.

Desenhe a pausa que você acha que merece...

semibreve mínima semínima colcheia semicolcheia fusa semifusa

... e faça uma pausa breve.

Pausa para fumar nº 3: com o furador de papel, faça buracos nos seus pulmões.

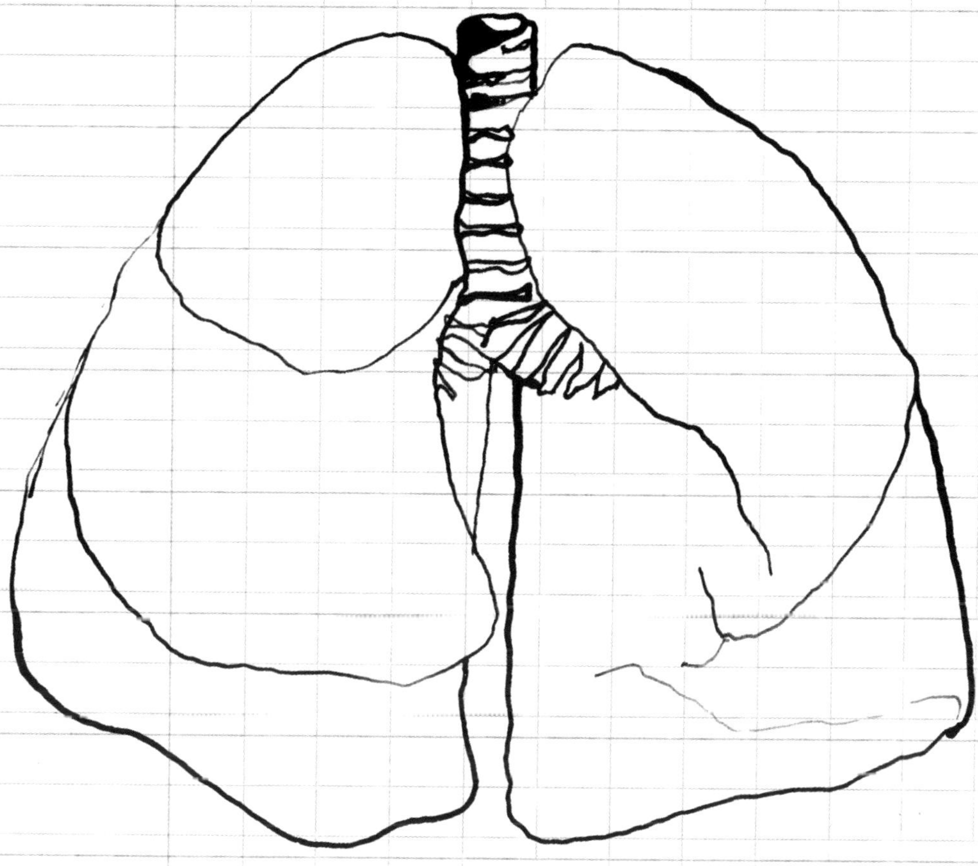

Desenhe galinhas e peruas, depois feche seus bicos com pregos.

Página de redação. Complete até a última linha:

Não estou feliz no trabalho, não estou feliz no trabalho, não estou feliz no trabalho, não estou feliz no trab

Não conseguiu emendar o feriadão? Colore seu riso de amarelo.

Com raiva de alguém?
Vingue-se!
Pregue esta folha
no mural, com muitas
tachinhas.

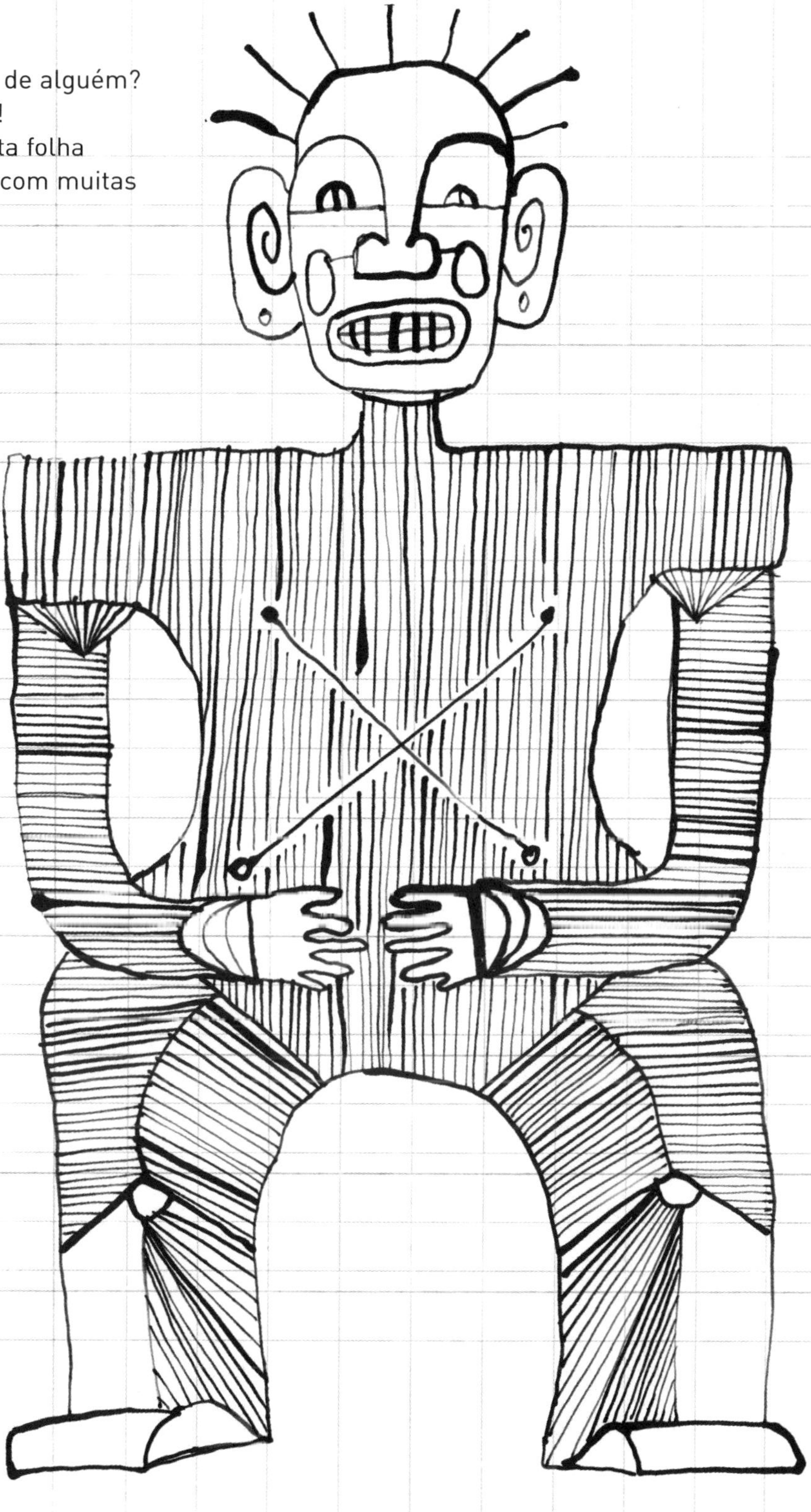

Querem chupar seu sangue: dê a eles tinta! Suba na sua cadeira, abra a caneta, salpique tinta na página e desenhe monstrinhos cabeludos.

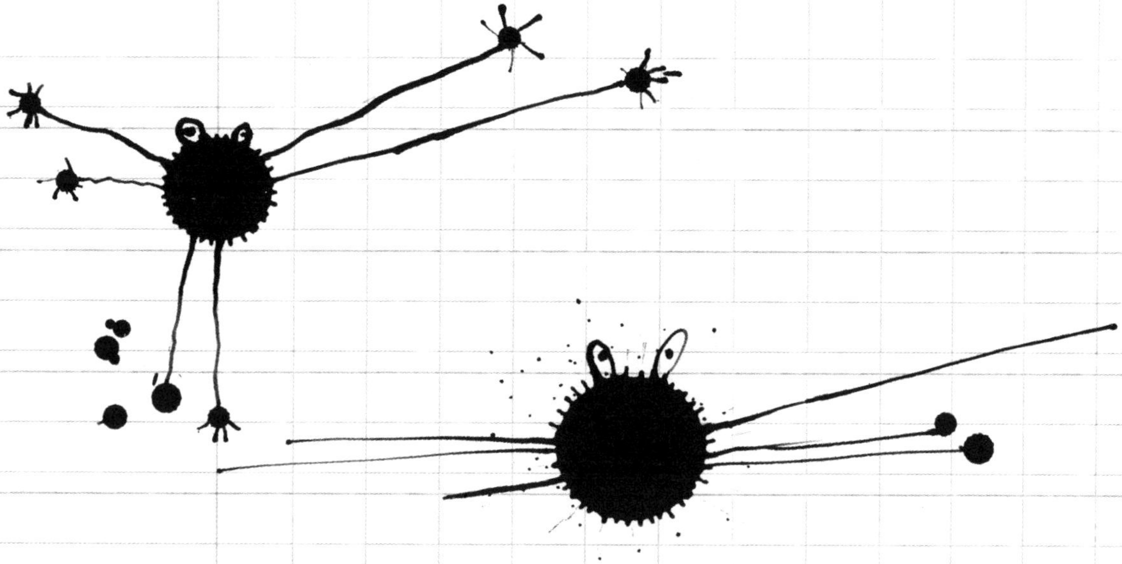

Continue a girar sem chegar a lugar nenhum.

Montes de trabalho, montes de preocupação, montes de remorsos? Pinte os seus montes de verde.

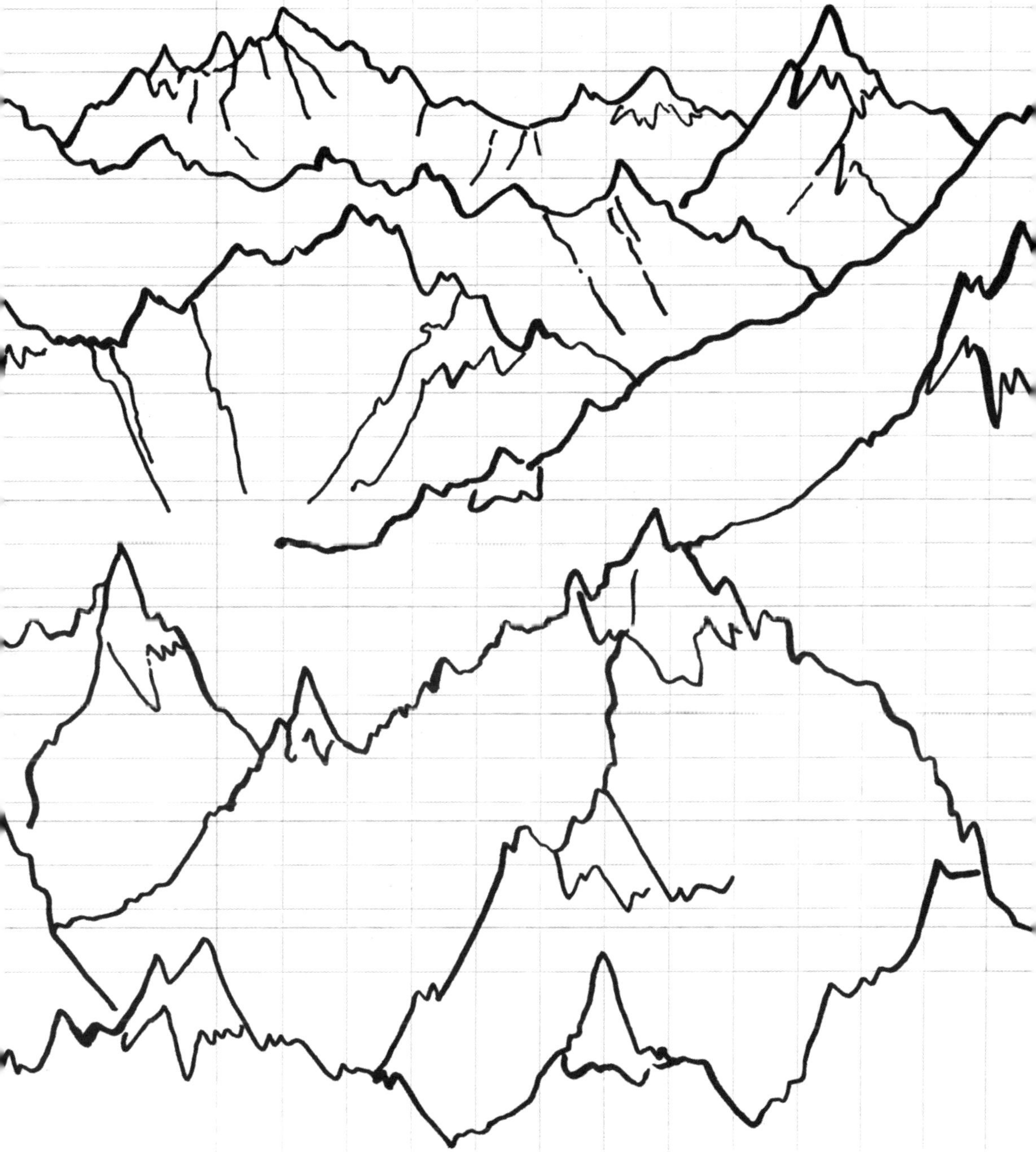

Página de caligrafia. Copie os números.

1 - o grande 69 69

2 - o 69 acrobático 69

3 - o belo 69 69

4 - o 69 às voltinhas 69 69 69 69 69

5 - o seu 69

Desenhe as minhocas que enchem sua cabeça e tente sorrir.

Ligue os pontos,
e dê o ponto final.

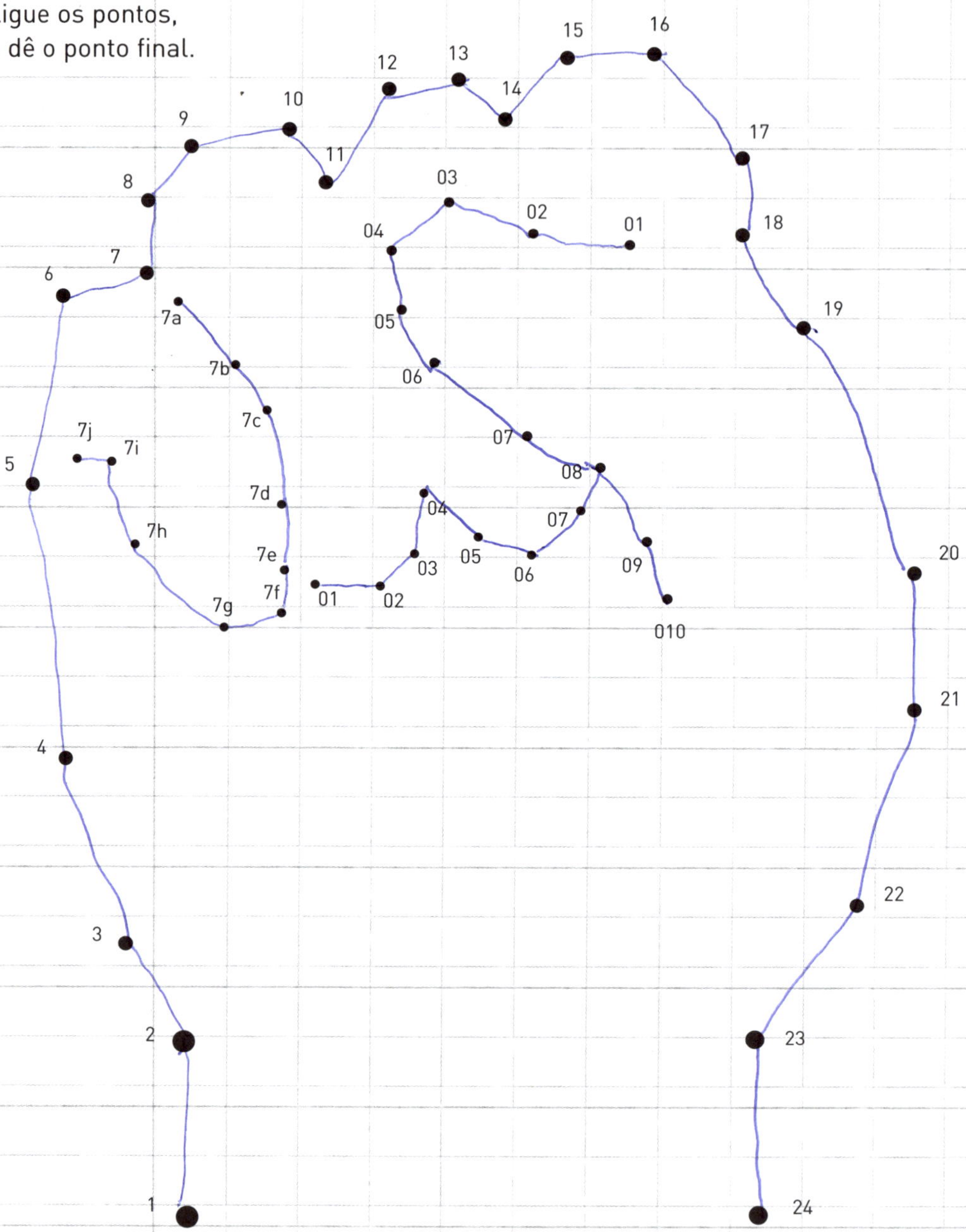

Verônica já achou um emprego.
Violeta não se entedia mais no escritório.
E você?